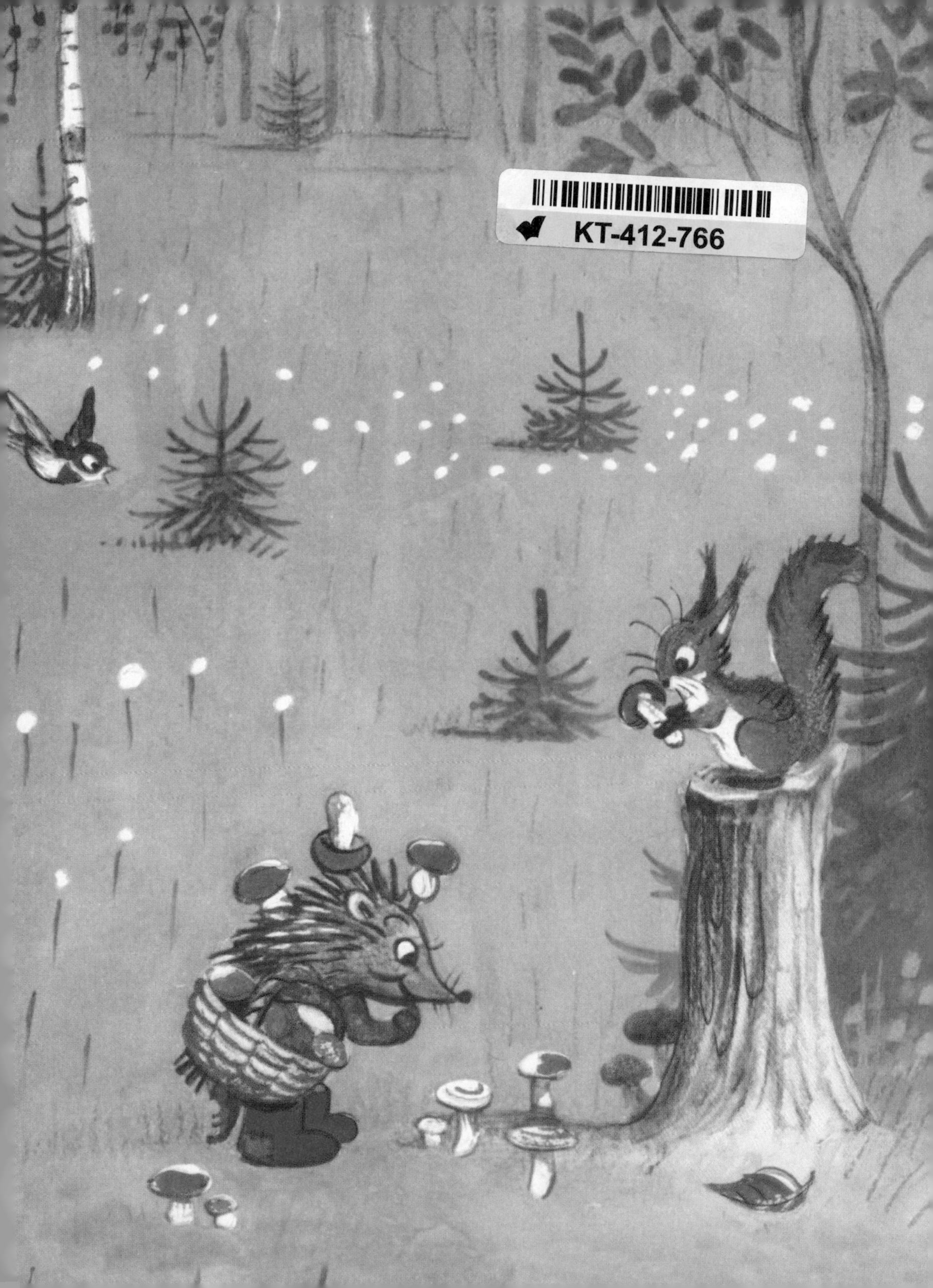

VLAGYIMIR SZUTYEJEV

Vidám mesék

A mű eredeti címe:
Владимир Сутеев: ВЕСЁЛЫЕ СКАЗКИ

Fordította
GERGELY ERZSÉBET, NIKODÉMUSZ ELLI, SZAMEK GYULA,
VILÁGHY JÓZSEF és ZSOMBOR JÁNOS

Huszonegyedik kiadás

**A kiadó könyveit kedvezménnyel
megrendelheti webáruházunkban:
www.mora.hu**

VLAGYIMIR SZUTYEJEV

Vidám mesék

A szerző rajzaival

MÓRA KÖNYVKIADÓ

Kispipi és Kisréce

Kikelt a tojásból Kisréce.
– Megszülettem! – kiáltotta vidáman.

– Én is! – csipogta rá Kispipi.

– Sétálni megyek – mondta Kisréce.
– Én is! – vágta rá Kispipi.

– Kapirgálok egy kicsit! – szólt Kisréce.
– Én is! – közölte Kispipi.

– Gilisztát találtam! – ujjongott Kisréce.
– Én is! – pityegte Kispipi.

– Fogtam egy lepkét! – büszkélkedett Kisréce.
– Én is! – vágta rá Kispipi.

– Fürödni fogok! – mondta Kisréce.
– Én is! – lelkendezett Kispipi.

– Már úszom is! – kiáltotta Kisréce.

– Én is! – kiáltotta Kispipi.

– Segítség!

Kisréce kihúzta Kispipit a vízből.

– Megint fürödni megyek egy kicsit – mondta Kisréce.
– De én nem! – sóhajtotta Kispipi.

A három kiscica

Három kiscica, egy fekete, egy szürke meg egy fehér,

meglátott egy egeret,

és – uccu neki! – utánafutottak.

A kisegér beugrott a lisztesládába.

A kiscicák – hopplá! – utána. A kisegér elszaladt.

A ládából pedig három fehér cica mászott ki.

A három fehér kiscica meglátott az udvaron egy békát,

és – uccu neki! – utánafutottak.
A béka beugrott egy ócska kályhacsőbe.

A kiscicák – hopplá! – utána.
A béka szépen tovaugrándozott, és a kályhacsőből

előbukkant három fekete kiscica.

A három fekete kiscica meglátott a tóban egy halacskát,

és – uccu neki! – utánaugrottak.

A halacska elúszott, és a tóból kimászott

három csuromvizes kiscica.

És a három vizes kiscica elindult hazafelé.

Útközben szépen megszáradtak, és olyanok lettek, mint
voltak: egy fekete, egy szürke és egy fehér kiscica.

A gomba alatt

A hangyát egyszer utolérte egy nagy eső. Hová bújjék előle?

Meglátott egy apró kis gombát a tisztáson, odaszaladt, és elbújt a gomba kalapja alá.

Üldögél a gomba tövében, várja, hogy elálljon az eső.
Ámde az eső egyre jobban zuhogott.

Egy agyonázott pillangó vánszorgott a gombához.

– Hangyácska, hangyácska, engedj ide engem is a gomba alá! Úgy eláztam, nem tudok repülni!

– Már hogyan is engednélek – kérdezte a hangya –, hiszen magam is éppen csak hogy elférek alatta!

– Sebaj! Kis helyen is elférnek, akik szeretik egymást.

Erre aztán a hangya beeresztette a pillangót a gomba alá.

Az eső meg egyre csak zuhogott.

Futva jött egérke.

– Engedjetek a gomba alá engem is! Patakokban folyik a víz rajtam!

– Ugyan hogyan engedhetnénk ide? Nincs már hely.

– Húzzátok magatokat öszszébb egy kicsit!

Összébb húzták magukat, és beengedték az egérkét a
gomba alá.

Az eső zuhogott, sehogy sem akarta abbahagyni.

Arra ugrándozott a veréb, és így sírt-rítt:

– Megázott a tollacskám, megfáradt a szárnyacskám! Engedjetek be engem is a gomba alá megszáradni, megpihenni, az eső végét kivárni!

– Nincs már több hely!

– Húzódjatok összébb, nagyon kérlek benneteket!

– Na jól van.

Összébb húzódtak – jutott hely a verébnek is.

Ekkor a nyúl ugrott ki a tisztásra, és meglátta a gombát.

– Bújtassatok el! – kiáltozta. – Mentsetek meg! Üldöz a róka!

– Sajnálom a nyulat – szólt a hangya. – Tudjátok mit? Húzódzkodjunk összébb!

Alighogy a nyulat elrejtették, odaért a róka is.

– Nem láttátok a nyulat? – kérdezte.

– Nem láttuk bizony!

Közelebb lopakodott a róka, és szaglászni kezdett.
– Nem itt bújt el?
– Ugyan, hogy bújhatott volna ide?
Megcsóválta a farkát a róka, és elment.

Közben az eső is elállt, a nap is kisütött.
Előbújtak a gomba alól mindahányan, és örvendeztek.

A hangya elgondolkozott, és azt mondta:

– Hát ez hogyan történhetett? Először még nekem is alig volt helyem a gomba alatt, a végén mégis mind az öten elfértünk!

– Brehehehe! Brehehehe! – heheré-szett valaki.

Mindannyian odanéztek: a gomba kalapján ült a béka, és jóízűen nevetett:

– Ó, ti okosok! Hiszen a gomba…

A mondatot félbehagyta, őket pedig otthagyta.

Mindannyian a gombára néztek, és nyomban kitalálták, hogyan történhe-tett az, hogy előbb egynek is alig akadt helye a gomba alatt, a végén mégis mind az öten elfértek.

Ti is kitaláltátok már?

Miau

A kutyus a pamlag előtt aludt a szőnyegen.

Álmában egyszerre csak úgy hallotta, mintha valaki azt mondaná:

– Miau!

Felkapta a fejét, körülnézett – sehol senki!

„Biztosan álmodtam az egészet" – gondolta, és kényelmesen visszafeküdt.

De megint csak azt mondta valaki:

– Miau!

Ki nyávogott?

A kutyus felugrott, körülfutotta a szobát, benézett az ágy alá, az asztal alá – sehol senki!

Felmászott az ablakpárkányra is. Meglátta a kakast, amint az ablak előtt az udvaron sétálgatott.

„Biztosan ez ébresztett fel" – gondolta a kiskutya, és kifutott az udvarra a kakashoz.

– Te nyávogtál? – kérdezte.

– Én nem nyávogok, én beszélek – csapkodott a kakas a szárnyával, és tüstént elkiáltotta magát: – Kukurikuuú!

– Mást nem tudsz beszélni?

– Nem, csak azt, hogy „kukurikú" – válaszolta a kakas.

A kutyus a hátsó lábával megvakarta a fülét, és vissza-
ment.

Alighogy a lépcsőhöz ért, ismét megszólalt valaki:

– Miau!

„No, most megvagy!" – szólt magában a kiskutya, és
mind a négy lábával kaparni kezdte a földet a lépcső alatt.
Jókora lyukat ásott, s a lyukból egy szürke egérke ugrott
elő.

– Te nyávogtál? – kérdezte tőle szigorúan a kiskutya.

– Cin, cin, cin – cincogta a kisegér –, én nem, de ugyan ki nyávoghatott?

– Valaki azt mondta, hogy „miau".

– Közel? – nyugtalankodott az egérke.

– Hát itt, egészen közel – felelte a kutyus.

– Juj de félek! Cin, cin, cin! – cincogta az egérke, és besurrant a lépcső alá.

A kutyus elgondolkozott.

Most pedig a kutyaól mellől hallatszott jó hangosan:

– Miau!

A kiskutya háromszor is körülfutotta az ólat, de senkit sem talált. Odabent azonban valaki mozgolódott.

„Itt van hát – gondolta magában. – Mindjárt megfogom!" – És közelebb lopódzott az ólhoz.

Láncát csörgetve egy hatalmas, bozontos kutya ugrott eléje.

– R-r-r-r! – morogta.

– Én… én csak meg akartam tud-ni…

– R-r-r-r!

– Ön nyávogott talán? – suttogta a kiskutya, és behúzta a farkát.

– Én?! Talán gúnyolódsz, ebadta?!

A kutyus ugyancsak szedte a lábát, elfutott a kertbe, és egy bokor alá bújt. És itt, éppen a feje fölött, valaki megint azt mondta:

– Miau!

Kikukucskált a bokor alól. Az orra előtt egy virágon bolyhos méhecske ült.

„Itt van hát, aki nyávogott" – és be akarta kapni a méhet.

– Z-z-z-z! – zümmögött sértődötten a méhecske, és belecsípett a kutyusba.

A kutyus feljajdult, nekiiramodott, a méh utána.

– Züm, züm, megcsíplek! Züm, züm, megcsíplek!

Futott a kutyus a tóhoz – és beleugrott a vízbe!

Amikor újra kidugta a fejét, a méh már nem volt sehol. És ekkor hirtelen megint nyávogott valaki:

– Miau!

– Te nyávogtál? – kérdezte csuromvizesen a halat, amelyik mellette úszott el.

A hal nem válaszolt semmit, csak a farkával csapkodott, és eltűnt a tó mélyén.

– Kva-kva-kva! – nevetett a béka, aki egy vízililiom levelén ült. – Hát te nem tudod, hogy a halak nem beszélnek?

– Talán bizony te nyávogtál? – kérdezte a kutyus a békát.

– Kva-kva-kva! – hahotázott a béka. – Milyen buta vagy! A békák csak brekegnek.

És beugrott a vízbe…

A kiskutya csuromvizesen, feldagadt orral hazaballa-
gott.

Szomorkodva feküdt a pamlag elé a szőnyegre. Egy-
szerre csak újból hallotta:

– Miau!

Felugrott – és íme, az ablakpárkányon ott kucorgott Cirmos.

– Miau – nyávogta.

– Vau-vau-vau! – ugatott a kutyus, aztán eszébe jutott, hogyan morgott a bozontos nagy kutya, és ő is morogni kezdett: – R-r-r-r!

A cica felhúzta a hátát, és fújt:
– S-s-s-s!

Aztán prüszkölt:
– Fr-fr!
És kiugrott az ablakon.

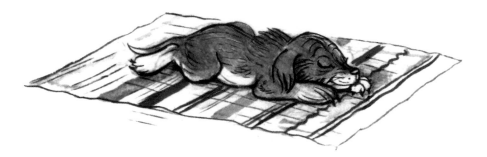

A kiskutya pedig szépen visszament a szőnyegre, és lefeküdt aludni. Most már tudta, ki nyávogott.

A négy kis ezermester

Erdő szélén áll egy fatuskó, a tuskón házikó.

Ebben a házikóban lakik a legyecske, a kis béka, a süni-ke meg a kakaska – Aranytaréj-kakaska.

Elmentek egyszer az erdőbe gombászni, virágot szedni, rőzsét gyűjteni, bogyót eszegetni.

Mentek, mentek az erdőben, és kiértek egy tisztásra. Körülnéztek, hát látják ám, hogy egy üres, gazdátlan sze-kér áll a tisztás közepén. Üres, gazdátlan szekér, annyi bi-zonyos, de azért nem akármilyen egy szekér ám az! Min-den kereke más és más: az egyik egy icike-picike kis kerék, a másik már nagyobbacska; a harmadik amolyan se nem kicsi, se nem nagy; a negyedik meg: a legeslegnagyobb.

A szekér réges-rég ott állhatott már, a gombák is elő-
bújtak alóla.

A legyecske, a kis béka, a sünike meg a kakaska csak
álltak, álltak a szekér előtt, bámulták, és tátott szájjal ál-
mélkodtak.

Egyszerre csak előugrik egy nyúl a bokorból, ő is nézi,
kacarászik.

– Tiéd ez a szekér? – kérdik a nyúltól.

– Nem, ez a medve szekere. Csinálta, csinálgatta egy
ideig, de nem jutott a végire, hát kihajította. Azóta is itt áll.

– Hát akkor fogjuk meg, és vigyük haza ezt a szekeret! – mondta a sünike. – Elkél majd a háztartásban.

– Úgy van, vigyük haza! – helyeseltek a többiek.

Nekiláttak hát mindnyájan, nyomták, lökték, taszigálták a szekeret, de az bizony nem mozdult.

Húzták-vonták előre-hátra. A szekér meg hol jobbra dőlt, hol balra.

Hepehupás, rossz az út is, itt egy gödör, ott egy bucka.

A nyúl kacag, hahotázik, majd megpukkad nevettében:

– Ki-hi-hi-hi-ne-he-he-hek is kell egy ilyen vacak, ha-ha-ha-ha-hasznavehetetlen szekér!

Mind a négyen elfáradtak, de sajnálták volna otthagyni – elkél majd a háztartásban.

Megint csak a sünike hozakodott elő valamivel:

– Hát akkor vigyük haza csak a kerekeket!

– Úgy van! Gyerünk, igyekezzünk!

Leszerelték a szekérről a kerekeket, és hazagurították őket. A legyecske az icike-picike kis kereket, a sünike a nagyobbacskát, a kis béka a se nem kicsit, se nem nagyot.

Kakaska pedig felpattant a legeslegnagyobb kerékre, szaporán rakosgatta a lábait, csattogtatta szárnyait, és azt kiabálta:

– Kukurikúú!

A nyúl nevetett rajtuk.

– Micsoda csodabogarak, különféle kerekekkel karikáznak hazafelé!

Ezalatt a legyecske, a kis béka, a sünike meg a kakaska hazagurították a kerekeket, de bizony erősen gondolkodóba estek: most aztán mihez kezdjenek velük?

– Én már tudom! – szólalt meg a legyecske, azzal fogta az icike-picike kis kereket, és egy irinyó-pirinyó kis rokkát csinált belőle.

A sünike kitalálta: ha két kis botot erősít a saját kerekéhez, talicska lesz belőle.

   – Én is kifundáltam ám valamit! – brekegte a kis béka, és a se nem kicsi, se nem nagy kereket a kútra szerelte, hogy könnyebben lehessen vizet húzni.

   A kakaska pedig a legeslegnagyobb kereket a patak vizébe eresztette, sok-sok követ hordott oda mellé, és épített egy malmot.

Mindegyik keréknek hasznát vették a háztartásban: a
legyecske fonalat fon a rokkán, a kis béka vizet hord a kút-
ról, öntözi a kertet, a sünike gombát, bogyót, rőzsét szállít
az erdőből talicskáján.

A kakaska meg lisztet őröl a malomban.

Egyszer aztán elment hozzájuk a nyúl megnézni, hogy
élnek, mit csinálnak.

És úgy fogadták, mint egy kedves vendéget szokás.

A legyecske kesztyűt kötött neki.

A kis béka sárgarépával kínálta.

A sünike gombával és különféle bogyókkal.

A kakaska meg töltött lepénnyel és túrós táskával.

Elszégyellte magát a nyúl.

– Bocsássatok meg nekem – mondta. – Kinevettelek benneteket, de most már látom, hogy akik ilyen ügyesek és leleményesek, mint ti vagytok, azoknak kis kerék, nagy kerék egyaránt hasznot hajthat.

A kis hajó

Sétálni indult Brekus, Kispipi, Egérke, Hangyácska és Katicabogárka. Elérkeztek egy patakhoz.

– Fürödjünk meg! – brekegte Brekus, és beugrott a vízbe.

– Nem tudunk úszni – mondta Kispipi, Egérke, Hangyácska és Katicabogárka.

– Brehehehe! – nevetett rajtuk Brekus. – No hiszen, nem sokra megyek én veletek! – És úgy kacagott, hogy majdnem vízbe fúlt.

Nagyon megbántódott ezen Kispipi, Egérke, Hangyácska és Katicabogárka. Törték a fejüket, mitévők legyenek. Addig-addig törték a fejüket, míg végre kitaláltak valamit.

Kispipi elment és hozott egy falevelet.

Egérke egy fél dióhéjat.

Hangyácska egy szalmaszálat vonszolt oda valahonnan.

Katicabogárka pedig egy cérnaszálat.

És nagy buzgón munkához láttak: a szalmaszálat be-
döfték a dióhéjba, a falevelet cérnával hozzákötötték, és
máris készen állt a kis hajó.

A hajót vízre lökték. Beleültek és elhajókáztak!

Brekus kidugta fejét a vízből, hogy tovább nevessen rajtuk, de a kis hajó már messze járt… utol se érheted!

Okoska-botocska

Hazafelé tartott a kis sündisznó. Útközben találkozott a nyúllal, és együtt ballagtak tovább. Kettesben rövidebbnek tűnik a hosszú út hazáig, mennek, mendegélnek, beszélgetnek.

Az út közepén egy bot hevert.

A nagy beszélgetésben a nyúl nem vette észre, megbotlott benne, és majdnem orra bukott.

– Ó, te! – mérgelődött a nyúl. Jól belerúgott a botba, és az messzire elrepült.

De a sündisznó felemelte a botot, vállára fektette, úgy futott, hogy utolérje a nyulat.

Meglátta a nyúl, hogy a sündisznó felemelte a botot.

– Minek neked ez a bot? Mi hasznod belőle? – csodálkozott

– Ez nem valami egyszerű bot csupán – magyarázta a sündisznó. – Ez egy okoska-botocska.

A nyúl csak megvetően kuncogott.

Tovább mentek, mendegéltek, és elérkeztek egy kis patakhoz.

A nyúl egyetlen ugrással átvetődött a patak túlsó oldalára, s onnan kiáltotta vissza:

– Hé, Szúrós Fej, dobd el a botodat! Nem tudsz vele átvergődni a patak innenső partjára!

A sündisznó azonban nem válaszolt erre semmit, csak egy kicsit hátrahúzódott, aztán nekifutott. Futás közben a botot leszúrta a patakocska közepére, és egyetlen lendülettel átugrott a túlsó partra, s úgy állt meg a nyúl mellett, mintha mi sem lenne ennél természetesebb.

A nyúlnak tátva maradt a szája az álmélkodástól.

– Hű, de nagyot tudsz te ugrani!

– Egyáltalán nem tudok ugrani – válaszolta a sündisznó. – Csak ez az okoska-botocska-mindenen-átugrócska segített nekem.

Tovább mentek, mendegéltek, s egy mocsaras részhez érkeztek. A nyúl egyik zsombékról a másikra ugrott. A sündisznó mögötte haladt, és a bottal vizsgálgatta maga előtt az utat.

– Hé, Szúrós Fej! Mit vánszorogsz ott ilyen lassan? Bizonyára a botod…

Nem tudta azonban befejezni a mondatot a nyúl, mert megcsúszott a zsombékon, és füle hegyéig merült a mocsárba. Jaj, mindjárt lemerül, és megfullad!

Átcammogott a sündisznó egy másik zsombékra, ame-
lyik közelebb esett a nyúlhoz, s odakiáltotta neki:

– Kapd el a botot! De jól markold meg!

Elkapta a nyúl a bot végét, a sündisznó pedig teljes ere-
jéből megrántotta a botot, és kihúzta barátját a mocsárból.

Amikor nagy nehezen kijutottak a biztonságos talajra,
azt mondta a nyúl a sündisznónak.

– Köszönöm, sündisznó barátom, hogy megmentettél.

– Ugyan, hogy mondhatsz
ilyet? Nem én mentettelek
meg, hanem ez az okoska-bo-
tocska-minden-bajból-kihú-
zócska!

Megint mentek, mendegéltek, és egy nagy sűrű, sötét erdő szélén megláttak a földön egy kis madárfiókát. Kiesett a fészekből, panaszosan csipogott, a szülei ott röpködtek fölötte, nem tudták, mit tegyenek.

– Segítsetek, segítsetek! – csiripelték.

A fészek magasan volt, sehogy sem lehetett elérni. Se a sündisznó, se a nyúl nem tudott fára mászni. Pedig valahogy segíteni kell a kismadáron.

Törte a fejét a sündisznó, s addig törte, amíg csak ki nem találta, mit kell tennie.

– Állj arccal a fa törzse felé! – parancsolt rá a nyúlra.

A nyúl oda is állt a fához, két mellső lábát feltette a fa törzsére.

A sündisznó rátette a madárkát a bot hegyére, s a bottal felkapaszkodott a nyúl vállára, s magasba emelte a kismadarat.

Majdnem elérték a fészek szélét.

A kismadárka ijedten csipogott egyet, aztán nagy bátran elrugaszkodott, beugrott a fészekbe.

Hogy örvendeztek a madárszülők! Ujjongva röpködtek a sündisznó és a nyúl feje körül, s egyre csak azt csiripelték:

– Köszönjük, köszönjük, köszönjük!

– Remek fickó vagy te, sündisznó! Nagyszerűen kitaláltad, mit kell tennünk.

– Ugyan, dehogyis én találtam ki! Mindent ez az okoska-botocska-magasba-emelőcske csinált.

Elindultak befelé az erdőbe. Minél messzebbre jutottak, annál sűrűbb, annál sötétebb lett az erdő. A nyúlnak bizony elszorult a szíve. De a sündisznón nem látszik, hogy félne. Bátran halad előtte, s a bottal félrehajtja útjukból az ágakat.

S ekkor az egyik fa mögül hirtelen kiugrott elébük egy hatalmas farkas, elállta az útjukat, rájuk kiáltott:

– Állj!

Megtorpant a nyúl meg a sündisznó.

A farkas megnyalta a szája szélét, fogait csattogtatva mondta nekik:

– Téged nem bántalak, te sündisznó, mert te nagyon szúrós falat lennél. De téged, tapsifüles, bizony bekaplak szőröstül-bőröstül!

Szegény nyúl egész testében reszketett a félelemtől, fehér lett, mintha téli bundát

öltött volna, lába szinte a földbe gyökerezett. Behunyta a szemét – jaj, most mindjárt bekap a farkas!

De a sündisznó nem vesztette el a fejét, meglendítette a botját, és nagyot vágott vele a farkas hátára.

A farkas felvonított a fájdalomtól, nagyot ugrott, és elszaladt...

Bizony úgy eliramodott, hogy még vissza se nézett.

– Köszönöm, sündisznó, most még a farkastól is megmentettél.

– Nem én, hanem ez az okoska-botocska-az-ellenségre-lecsapócska – válaszolta a sündisznó.

Megint mentek, mendegéltek. Elhagyták az erdőt, és ki-
értek az útra. Bizony nem volt könnyű a felfelé vezető úton
felkaptatni. A sündisznó elöl haladt, botjára támaszko-
dott, de a szegény nyúl hamarosan lemaradt,
majd összerogyott a fáradtságtól.

Közel jártak már az otthonukhoz, de a nyúl nem bírta
tovább.

– Semmi baj – mondta neki a sündisznó –, kapaszkodj
a bot végébe.

A nyúl megmarkolta a botot, és a sündisznó a botnál
fogva szépen felcipelte az emelkedő tetejére. És a nyúl rög-
tön megérezte, mennyivel könnyebb így haladni felfelé.

– Nézd csak – mondta –, a te okoska-botocskád most is
segített rajtam.

Így vezette haza a sündisznó a nyulat az otthonába, ahol már olyan régóta várt rá nyúlné asszonyság meg a gyerekek.

Örvendeztek nyúlék, hogy megint együtt vannak, és a nyúl azt mondja sündisznónak:

– Ha nem lett volna ez a te csodatévő okoska-botocs-kád, bizony sohasem láttam volna viszont az otthonomat.

Elmosolyodott ezen a sündisznó, s azt mondta neki:

– Fogadd el ajándékba ezt a botot. Talán szükséged lesz rá.

A nyúlnak szinte a szava is elakadt a csodálkozástól.

– S veled mi lesz a csodálatos okoska-botocska nélkül?

– Semmi! – válaszolta a sündisznó. – Botot mindig lehet találni. Az okosságot pedig – megkocogtatta ujjával a homlokát –, az okosságot pedig innen veszem hozzá!

Mindent megértett most már a nyúl.

– Milyen igazad van: nem a bot a fontos, hanem az okos fej, no meg a jó szív!

Az alma

Késő őszre járt az idő. A fákról már réges-régen lehullottak a levelek, egyedül csak a vadalmafa legtetején árválkodott egyetlen alma.

A nyúl futott át az erdőn, és meglátta az almát.

Hogyan lehetne megszerezni? Nagyon magasan van – nem tud odáig felugrani.

– Kárr-kár!

Körülnéz a nyúl, és meglátja, hogy a szomszédos fenyőfán ott üldögél a varjú, és jóízűen nevet rajta.

– Hallod-e, varjú koma! – kiáltotta a nyúl. – Szakítsd le nekem az almát.

A varjú átrepült a fenyőfáról a vadalmafára, és letépte az almát. De az kiesett a csőréből, le a földre.

– Köszönöm szépen, varjú koma! – kiáltotta a nyúl, és fel akarta emelni az almát, de az – uramfia, mit látnak szemei?! – szusszant egyet, és elszaladt.

– Hát ez meg miféle csoda?

Megijedt a nyúl, de aztán rájött, mi történt. Az alma a fa alatt összegömbölyödve alvó sündisznócska hátára pottyant. Az álmából fölriasztott sündisznócska ijedtében futásnak eredt, és tüskéin magával vitte az almát is.

– Állj meg, állj meg! – kiáltozott a nyúl. – Hová viszed az almámat?

– Ez az én almám. Leesett a fáról, és én elkaptam.

A nyúl odaugrott a sündisznócskához.

– Azonnal add vissza az almámat! Én találtam rá!

Odarepült hozzájuk a varjú.

– Felesleges vitatkoznotok, ez az én almám, én téptem le a fáról, magamnak!

Sehogy sem tudtak megegyezni, mindegyikük a magáét hajtogatta, kiabálta:

– Ez az én almám, az enyém!

Veszekedésük felverte az erdő csendjét. Verekedésig fajult a dolog: a varjú a csőrével belecsípett a sündisznócska orrába, a sündisznócska tüskéivel megszúrta a nyulat, a nyúl pedig oldalba rúgta a varjút…

Ekkor ért oda hozzájuk a medve. Rájuk bömbölt:

– Mi történik itt?! Mi ez a lárma?!

Azt felelik neki a veszekedők:

– Mihail Ivanovics, te vagy itt az erdőn a leghatalma-
sabb, a legbölcsebb. Légy te a bíró. Azé legyen az alma,
akinek te ítéled.

Ezzel elmesélték a medvének, hogy s mint esett a do-
log.

A medve gondolkodott, töprengett egy ideig, megva-
karta a füle tövét, aztán megkérdezte:

– Ki találta az almát?
– Én! – felelte a nyúl.

– De ki tépte le a fáról?
– Bizony hogy én! – ká-
rogta a varjú.

– Jól van. De ki kapta el?
– Én kaptam el! – kiáltotta
a sündisznócska.

– Nos hát akkor – ítélte a medve – mindhármótoknak joga van az almára.

– De csak egy almánk van! – kiáltotta egyszerre a sündisznócska, a nyúl és a varjú.

– Osszátok el az almát szép egyforma darabkákra, és mindegyiktek vegye el a maga részét.

Megint egyszerre kiáltották mind a hárman:

– Hogy a csudába nem jutott ez az eszünkbe?!

A sündisznócska elvette az almát, és négy egyforma részre vágta.

Egy darabot a nyúlnak kínált.

– Tessék, ez a tiéd, nyúl, mert te láttad meg elsőnek.

A másodikat a varjúnak adta.

– Ez a tiéd, mert te tépted le.

A harmadik darabot ő nyelte le.

– Ez az enyém, mert én kaptam el az almát.

A negyedik darabkát pedig a medve mancsába nyomta.

– Ez a tiéd, Mihail Ivanovics.

– Ugyan miért? – ámuldozott a medve.

– Azért, mert te békítettél össze és vezettél a helyes útra bennünket!

És mindannyian megették a részüket az almából, és mindenki elégedett volt, mert a medve igazságosan döntött, senkit sem bántott meg.

A kisegér meg a ceruza

Egyszer volt, hol nem volt, volt Vova asztalán egy ceruza.

Vova gyakran rajzolt vele képeket, és a ceruza engedelmesen lerajzolt mindent, amit Vova akart.

Egyszer, amikor Vova aludt, egy egérke mászott az asztalra. Meglátta a ceruzát, felkapta és vonszolni kezdte az egérlyuk felé.

– Engedj el, kérlek! – könyörgött a ceruza. – Mire kellek én neked, hiszen fából vagyok: nem lehet engem megenni!

– Rágcsálni akarlak – mondta a kisegér. – Bizseregnek
a fogaim, s emiatt folyton rágcsálnom kell valamit. Így ni! –
és a kisegér úgy megharapta a ceruzát, hogy az feljajdult
belé.

– Jaj! – kiáltotta a ceruza. – Akkor legalább hadd rajzol-
jak valamit utoljára, aztán tégy, amit akarsz.

– No jó – egyezett bele az egérke –, rajzolj hát! Utána
úgyis apró darabokra ráglak!

Nagyot sóhajtott a ceruza, és rajzolt egy kört.

– Ez sajt? – kérdezte az egérke.

– Lehet sajt is – mondta a ceruza, és még három kis karikát rajzolt.

– Hát persze hogy sajt! Ezek itt benne a lyukak – találgatta az egérke.

– Lehetnek lyukak is – egyezett bele a ceruza, és még egy nagy kört rajzolt.

– Ez alma! – kiáltott fel az egérke.

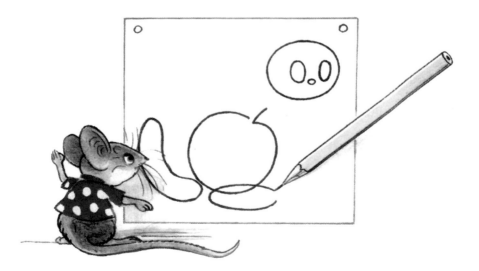

– Lehet alma is – mondta a ceruza, és néhány ilyen hosszú kifliformát rajzolt.

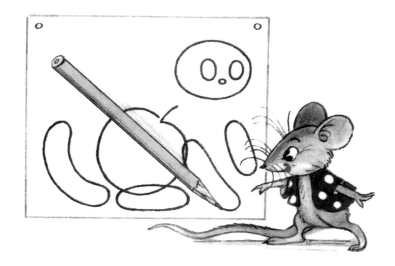

– Már tudom! Ez itten kifli, ezek meg kenyerek! – kiáltotta szája szélét nyalogatva a kisegér. – No fejezd be gyorsan, mert már nagyon bizseregnek a fogaim!

– Várj egy pillanatig – szólt a ceruza, s amikor ezeket a háromszögeket kezdte rajzolni, a kisegér felkiáltott:

– Hiszen ez olyan, mint egy macs… Ne rajzold tovább!

A ceruza azonban már hosszú bajuszt is rajzolt.

– Igen, ez egy igazi macska! – cincogta a megrémült egérke. – Segítség!

És bemenekült az egérlyukba.

Azóta az orrát sem dugta ki onnan.

Vova ceruzája még most is megvan, csak ilyen kicsi lett.

Te is próbálj a ceruzáddal ilyen macskát rajzolni, hadd féljenek az egerek!

A kakas meg a színek

Vova rajzolt egy kakast, de elfelejtette kifesteni.
Elment a kakas sétálni.

– Mért jársz te ilyen színtelenül? – ámuldozott a kutya.

Megnézte magát a kakas a víz tükrében. „Igaz… Igaza van a kutyának."

– Ne szomorkodj – vigasztalta a kutya. – Eredj el a színekhez, ők majd segítenek rajtad.

Odament a kakas a színekhez, szépen kérte őket:

– Színek, színek, segítsetek!

– Jól van… – szólt a Piros, és megfestette a taréját és a szakállkáját.

A Kék meg a farktollát.

A Zöld a szárnyát.

A Sárga meg a begyét.

– Így már igazi kakas vagy – mondta a kutya.

Ezt a kakast most te színezd ki. De ne felejtsd el kiszínezni a kispipit sem, szép sárgával!

A szeszélyes cica

Panni az asztalnál ült, rajzolga-
tott; különféle színekkel festette ki a
képeket. Egyszer csak a szék tám-
lájára ugrott a zöld szemű cirmos
cica, és figyelmesen nézegette a raj-
zokat.

– Mit csinálsz, Panni? – kérdezte kíváncsian, és puha,
fehér mancsát rátette a kislány vállára.

– Házacskát rajzolok neked – felelte Panni. – Nézd csak, cicuskám, pirosra festem a tetejét, az ajtaját meg sárgára.

– Csak azt nem tudom: mit is csinálok majd ebben a házikóban?

– Tüzet raksz, és felforralod a tejecskédet.

És már oda is rajzolta Panni a bodros füstgomolyagot; az vidáman szállt felfelé a kis házacska kéményéből.

– Hát az ablaka hol van? – kérdezte a cica. – Igazán tudhatnád, hogy a cicák mindig az ablakon ugrálnak be. Szép kis ház ez, mondhatom! Még ablaka sincsen.

– Ne türelmetlenkedjél, már itt is vannak az ablakok – szólt szelíden Panni. – Egy, kettő, három a ház oldalára, egy meg a padlásra.

Szép egyenes vonalakkal rajzolta meg a kislány a négy kicsi ablakot.

De Cirmos csak tovább kérdezgette:

– Hát sétálni hol fogok? Vagy mindig csak itthon unatkozzam?

Panni szép deszkakerítést rajzolt a ház köré.

– Itt sétálhatsz majd, Cicuskám, ez lesz a kert. Kaput is rajzolok rá.

Nézte, nézte Cirmos a képet, azután gúnyosan megszólalt:

– Ezt nevezed kertnek? Hisz ez csak üres udvar!

– Várjál! Mindjárt rajzolok neked egy gyönyörű szép kertet is. Látod, itt van egy virágágy, mellette egy almafa, sok-sok piros alma terem rajta. Ezt a két kerek ágyást meg zöldséggel ültetjük tele. Az egyikbe sárgarépát ültetünk, a másikba káposztát.

– Káposztát? – nyávogott a cica. – Nem vagyok én tapsifüles, hogy káposztával éljek. Ha kedvem szottyan egy kis horgászásra, hol fogok majd aranyhalacskát?

Panni már rajzolta is a kis, kék vizű, kerek tavat, és bele három aranyhalacskát.

– No jól van, ezzel meg vagyok elégedve – dorombolta Cirmos. – De Pannikám, ugye lesz baromfi is a kertemben?

– Persze hogy lesz, Cirmoskám. Nézd, már itt is van ez a nagy tarajos, tarka farkú kis kakas, mellette meg a bóbitás, kendermagos tyúkanyó. Kapsz még három pelyhes csibét is, meg egy sárga csőrű libát a tó partjára.

A cica megnyalogatta a szája szélét, elégedetten dorombolt.

– Miau, miau, ezt már szeretem! Hát a kis egerek? Ugye lesznek egerek is a házikómban?

– Szó sincs róla, egér nem ke-
rülhet a házba.

– És ki őrzi majd a házacská-
mat, ha elmegyek hazulról?

– Ne félj, lesz házőrző is.

Panni rajzolt is egy kis taka-
ros kutyaólat, eléje meg egy rö-
vid szőrű, kurta lábú, cipőgomb-
szemű kis kutyát.

– Látod, cicuskám, ez itt Fickó kutya, ő vigyáz majd a
házadra.

Ebben a pillanatban a cica villámgyorsan leugrott a padlóra, felkunkorította a farkát, felborzolta a bundáját; zöld szemecskéje csak úgy villogott, mikor megszólalt:

– Tulajdonképpen nem is tetszik nekem a házad, sem a kert, sem az aranyhalacskák... Nem akarok benne lakni!

És elrohant Cirmos, sértődötten, haragosan – úgy elszaladt, vissza sem nézett Pannira.

Ugye tudod, hogy miért gondolta meg magát oly hirtelen ez a szeszélyes cica?

A fenyőfa

Ma reggel a gyerekek megnézték a naptárt, és ezt olvasták le róla: december 31.

Holnap hozza a Télapó a fenyőfát! A játékok biztosan készen lesznek, de a fenyőfa még sehol sincs. A gyerekek elhatározták, hogy levelet írnak a Télapónak, küldjön nekik fenyőfát a sűrű erdőből, egy szép szál zöld fenyőt, a legszebbet.

Kedves Télapó!
Kérünk Téged,
küldjél nekünk
karácsonyra
egy szép fenyőt!
Játékot majd csiná-
lunk, az nem kell.
E levelet elviszi
majd Néked
egy hóember!

A gyerekek

és a Hóember

Télapó
bácsinak

t gyerekektől

Hát egy ilyen levelet írtak a gyerekek, és rögtön utána kiszaladtak az udvarra – hóembert csinálni.

Nagy egyetértésben dolgoztak: volt, aki a havat hordta, volt, aki tapasztotta.

A hóember fejére egy lyukas vödröt tettek, két szeme szénből készült, az orra helyére meg egy szál sárgarépa került.

Nos hát, nagyon jól sikerült a hóemberpostás! A gyerekek átadták neki a levelet, és így szóltak:

Hóember, hóember,
nálad jobb postás nem kell,
sötét erdőt járod,
levelünk a párod.

Télapónak vidd el őt,
keressen egy kis fenyőt,
sűrű ágú, zöld szoknyájú,
tűlevelű ismerőst.

Hozd el azt a kis fenyőt,
minden gyerek várja őt!

Beköszöntött az este, a gyerekek hazaszállingóztak, a hóember pedig így dohogott magában:

– Hm… Ezek feladták a leckét! Most aztán kihez forduljak, merre induljak?

– Vigyél magaddal! – vakkantott fel váratlanul Bobik, a kutyuska. – Jó orrom van, segítek neked megkeresni az utat.

– Persze hogy elviszlek, kettesben sokkal vidámabb! – örvendezett a hóember.

Sokáig mentek, mendegéltek, a hóember és Bobik, míg
végül elérkeztek a sűrű, nagy erdőhöz.

Éppen eléjük szaladt egy nyúl.

– Errefelé lakik a Télapó? – kérdezett rá a hóember.

De a nyúlnak lélegzetnyi ideje sem volt, mert éppen a róka üldözte.

– Vau! Vau! – ugatott fel Bobik, és ő is a nyúl után vetette magát.

Elszomorodott a hóember.

– Úgy látszik, egyedül kell továbbmennem.

És egyszerre nagy szél kerekedett, hatalmas hóvihar söpört végig az erdőn.

A hóember megremegett és... darabokra szakadt szét. Csak egy vödör, egy levél meg egy szál sárgarépa maradt belőle a havon.

Visszarohant a róka, és bosszankodva mondta:

– Hol van az az ember, aki miatt elszalasztottam a nyúlpecsenyémet?

Nézi – hát látja, hogy senki sincs ott, csak egy levél fekszik a havon. Fogta a levelet, és elszaladt vele.

Megjött Bobik is.

– Hol a hóember?

A hóember nincs sehol.

Épp ekkor érte utol a farkas a rókát.

– Mit viszel, komám? – mordult rá a farkas. – Felezzünk!

– Eszem ágában sincs veled felezni, mikor magam is hasznát vehetem! – szólt a róka, és elfutott.

A farkas meg – utána.

És a kíváncsi szarka is utánuk repült.

Ott sírdogált Bobik magában, a nyulak pedig egyre csak azt hajtogatták:

– Úgy kellett, úgy kellett, minek kergettél mindig minket, minek ijesztgettél mindig minket?

– Soha többé nem foglak benneteket bántani – mondta Bobik, és még hangosabban kezdett sírni.

– Na, ne sírj, segítünk rajtad – ígérték a nyuszik.
– Mi pedig a nyusziknak – makogták a mókuskák.

És a nyuszik nekiálltak hóembert építeni, a mókusok meg segítettek a munkában: a mancsukkal veregették, dagasztották, a farkukkal legyezgették, ragasztották.

A hóember fejére ismét egy lyukas vödröt tettek, két szeme szénből készült, az orra helyére meg egy szál sárgarépa került.

– Köszönöm nektek – szólalt meg a hóember –, hogy újra felépítettetek. Most pedig segítsetek megkeresni a Télapót.

Elkísérték a medvéhez. A medve aludt a barlangjában, hát felébresztették.

Elmesélte neki a hóember, hogy a gyerekek tulajdonképpen a Télapóhoz küldték őt egy levéllel.

– Egy levéllel? – brummogta a medve. – Hol az a levél?

S csak ekkor kaptak észbe, hogy nincs meg a levél!

– Levél nélkül pedig Télapó nem ad nektek fenyőfát – mondta a medve. – Jobban teszitek, ha hazamentek, majd én kivezetlek benneteket az erdőből.

S egyszerre – honnan, honnan nem? – ott termett előttük a szarka, és azt csörögte, örömében pörögve:

– Itt a levél! Itt a levél!

És elmesélte nekik, hogyan talált a levélre.

Hát így történt mindez.

És mindahányan, akik voltak, el-
indultak a levéllel a Télapóhoz.

A hóember sietve lépked, nagyon
izgul: hol egy dombról gurul le, hol egy gödörbe pottyan,
hol egy tuskóba botlik.

Persze a medve mindig kihúzza a csávából, de aztán
megint csak darabokra szakad szét a hóember.

Végül is elérkeztek Télapóhoz.

Télapó elolvasta a levelet, és így szólt:

– Hogyhogy ilyen későn jöttök? Jaj, hóember, hogy fogod majd így elvinni időben, pont karácsonyra a gyerekeknek a fenyőfát?

Itt mindnyájan a hóember védelmére keltek, elmondták, mi történt vele. Télapó a saját szánját adta nekik, s a hóember a fenyővel elhajtott a gyerekekhez.

A medve visszabújt a barlangjába – tavaszig kialussza magát.

És reggelre a hóember ott állott a régi helyén, csakhogy levél helyett egy zöld fenyőt tartott a kezében.

Micsoda madár ez?

Élt egyszer egy liba. Szörnyen osto-
ba, irigy állat volt. Mindenkit irigyelt,
mindenkivel összeveszett, mindenkire
sziszegett…

Az emberek a fejüket csóválva
mondogatták:

– Szörnyű ez a liba!

Egy alkalommal a liba meglátott a
tavon egy hattyút. Nagyon megtet-
szett neki a szép, hosszú hattyúnyak.
„De jó lenne nekem is egy ilyen szép,
hosszú nyak" – gondolta magában.
Megkérte a hattyút:

– Tudod mit? Cseréljünk! Neked
adom az én nyakamat, s te add nekem
a tiédet.

A hattyú egy kicsit gondolkodott az
ajánlaton, de aztán ráállt. Nyakat cse-
réltek.

Sétálgat a liba, szép, hosszú hattyúnyakával, s nem tudja, hogy mit kezdjen vele. Hol elfordítja, hol kinyújtja, hol ívben meghajlítja – sehogy sem találja kényelmesnek.

Meglátja a libát a pelikán, s csak úgy dülöngél a nevetéstől.

– Ó, hiszen te nem vagy se liba, se hattyú – mondja neki –, hahaha!

Megsértődött a liba, s már éppen rá akart sziszegni, amikor észrevette, hogy a pelikánnak milyen szép nagy, zacskós csőre van.

„De jó lenne nekem is egy ilyen szép nagy, zacskós csőr!" – gondolta magában.

Meg is mondta a pelikánnak:

– Tudod mit? Neked adom az én piros csőrömet, s te add nekem a te zacskós csőrödet!

A pelikán nevetett, de aztán ráállt. Cseréltek. Megtetszett a libának ez a cserebere.

A gémmel lábat cserélt: vaskos úszólábáért szép vé-
kony, hosszú gémlábat kapott.

A varjúval elcserélte nagy, fehér szárnyát kicsi feketére.

A pávát sokáig kellett rábe-
szélnie a libának arra, hogy cse-
rélje el vele díszes, színes farktol-
lait az ő kis ecset formájú farkáért.
De végül sikerült neki.

A jóságos kakas könynyen odaajándékozta taraját, szakállát, s hozzá még szép, kukorékoló hangját is. Senkire és semmire nem hasonlított most már a liba.

Nagy peckesen sétálgatott gémlábán, varjúszárnyaival csapkodott, forgatta hattyúnyakát…

Egyszer nagy csapat liba jött vele szemközt.

– Gá-gá-gá, micsoda madár ez? – ámuldoztak a libák.

– Liba vagyok! – kiáltotta a liba, és vadul csapkodott varjúszárnyával, kinyújtotta hattyúnyakát, és pelikáncső-

rét eltátva harsogta: – Kukurikuuuú! Mindenkinél szebb vagyok!

– Hát ha te liba vagy, akkor gyere velünk! – mondták neki a libák.

Együtt mentek mindannyian egy kis rétre.

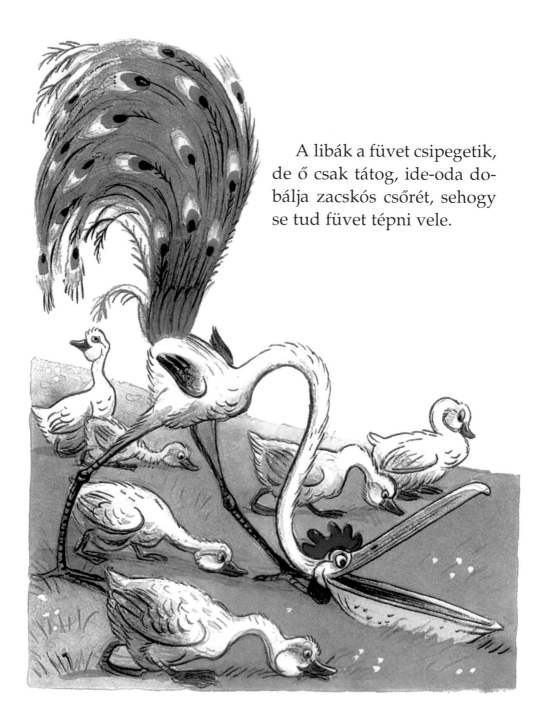

A libák a füvet csipegetik, de ő csak tátog, ide-oda dobálja zacskós csőrét, sehogy se tud füvet tépni vele.

Ezután a libák a tóra mentek fürödni.

Mind úszkálnak a tóban, de a mi libánk a parton futkos, fel s alá, gémlábbal nem tud úszni.

Nevetnek a libák:

– Hahahahaha!

Ő meg visszakiált nekik:

– Kukurikuuuú!

Kijöttek a partra a libák, s egyszerre csak honnan, honnan nem, ott termett a róka!

Ijedten gágogtak a libák, és elrepültek.

Csak ő maradt ott, a varjúszárnyak nem tudták felemelni, futni kezdett hosszú gémlábán, de páva-

farka belegabalyodott a nádasba.
Itt aztán hosszú hattyúnyakát el-
kapta a róka, és – uzsgyi! – sza-
ladni kezdett vele.

Meglátták ezt a libák, lecsap-
tak a rókára, vadul csípték, ahol
érték. Leejtette a róka a libát, és
elfutott.

— Köszönöm, hogy megmentettetek — mondta a liba —, most már tudom, hogy mit kell tennem!

Elment a hattyúhoz, és visszaadta neki hosszú nyakát, a pelikánnak nagy, zacskós csőrét, a gémnek hosszú lá-

bait, a varjúnak fekete szárnyát, a pávának díszes farktol-
lait, a jóságos kakasnak pedig a taraját, szakállát, szép ku-
korékoló hangját.

És megint olyan lett, mint egy liba.

Csak most már okos, és nem irigy liba lett belőle.

Így szólt az én mesém a libáról. Itt a vége, fuss el véle!

TARTALOM

Móra Könyvkiadó – 65 éve családtag

Az 1795-ben alapított
Magyar Könyvkiadók és Könyvterjesztők Egyesülésének tagja

ISBN 978 963 11 9841 6

Kiadja a Móra Könyvkiadó Zrt.,
Janikovszky János elnök-vezérigazgató
Felelős szerkesztő: Dian Viktória • Képszerkesztő: Diósi Katalin
Terjedelem: 13 (A/5) ív • IF 8959 • E-mail: mora@mora.hu • Honlap: www.mora.hu

Nyomtatta és kötötte: Reálszisztéma Dabasi Nyomda Zrt.
Felelős vezető: Vágó Magdolna vezérigazgató
Munkaszám: 151558
www.dabasinyomda.hu